Vive la maternelle!

Pour Lyra et Avigail, qui m'ont inspiré cette histoire,
ainsi que pour Aviya, Baruch, Ezra, Gabriel, Julia Rose,
Leah, Niomi, Noa et Talia qui ont stimulé ma créativité.
– Linda (« Nonnie »)

Catalogage avant publication de Bibliothèque et Archives Canada

Marshall, Linda Elovitz
[Kindergarten is cool! Français]
Vive la maternelle! / Linda E. Marshall ; illustrations de Chris Chatterton;
texte français d'Isabelle Allard.

Texte rimé.
Traduction de: Kindergarten is cool!
ISBN 978-1-4431-6998-1 (couverture souple)

I. Chatterton, Chris, illustrateur II. Titre. III. Titre: Kindergarten is cool!
Français.

PZ24.3.M37Vi 2018 j813'.6 C2018-902604-9

Édition publiée par les Éditions Scholastic, 604, rue King Ouest, Toronto (Ontario) M5V 1E1

5 4 3 2 1 Imprimé au Canada 119 18 19 20 21 22

Conception graphique : Jess Tice-Gilbert

Vive la maternelle!

Texte français d'Isabelle Allard

Linda Elovitz Marshall

SCHOLASTIC

Illustrations de Chris Chatterton

Tu te réveilles et tu sautes du lit.
Tu choisis tes vêtements favoris.

Tu enfiles tes souliers
et ton manteau.

N'oublie pas ton repas
et ton sac à dos!

La maternelle commence maintenant!
Les grands disent que c'est amusant.
Est-ce que c'est vrai, tu crois?
Est-ce que l'école te plaira, à toi?

Ta maman te dit au revoir,
tu marches seul sur le trottoir.

Tu n'es plus un PETIT enfant...
Tu vas à l'école comme les GRANDS!

À pied, en autobus ou en voiture,
c'est déjà toute une aventure!
Tu parles de livres, de crayons, d'activités,
et des amis que tu vas rencontrer.

TIGRE

En ouvrant la porte, tu vois des cubes par terre
et toutes sortes de jeux sur les étagères.

Tu découvres des expériences scientifiques

et des déguisements fantastiques.

Tu apprends les lettres de A à Z;
tu pourras bientôt les chanter sans aide.
Tu sais aussi compter 1-2-3-4-5-6...
puis les chiffres s'envolent jusqu'à 10!

Tu *t'étiiiiiiiires*, les bras en l'air,
pour toucher Mars et Jupiter.

Tu te reposes un peu, bien sûr,
sur le tapis du coin lecture.

L'enseignante lit des histoires
sur les exploits d'un épaulard,
d'un canard nommé Benoît
et d'un garçon qui devient roi.

Quand vient l'heure de la récréation,
tu sors pour courir, jouer au ballon,

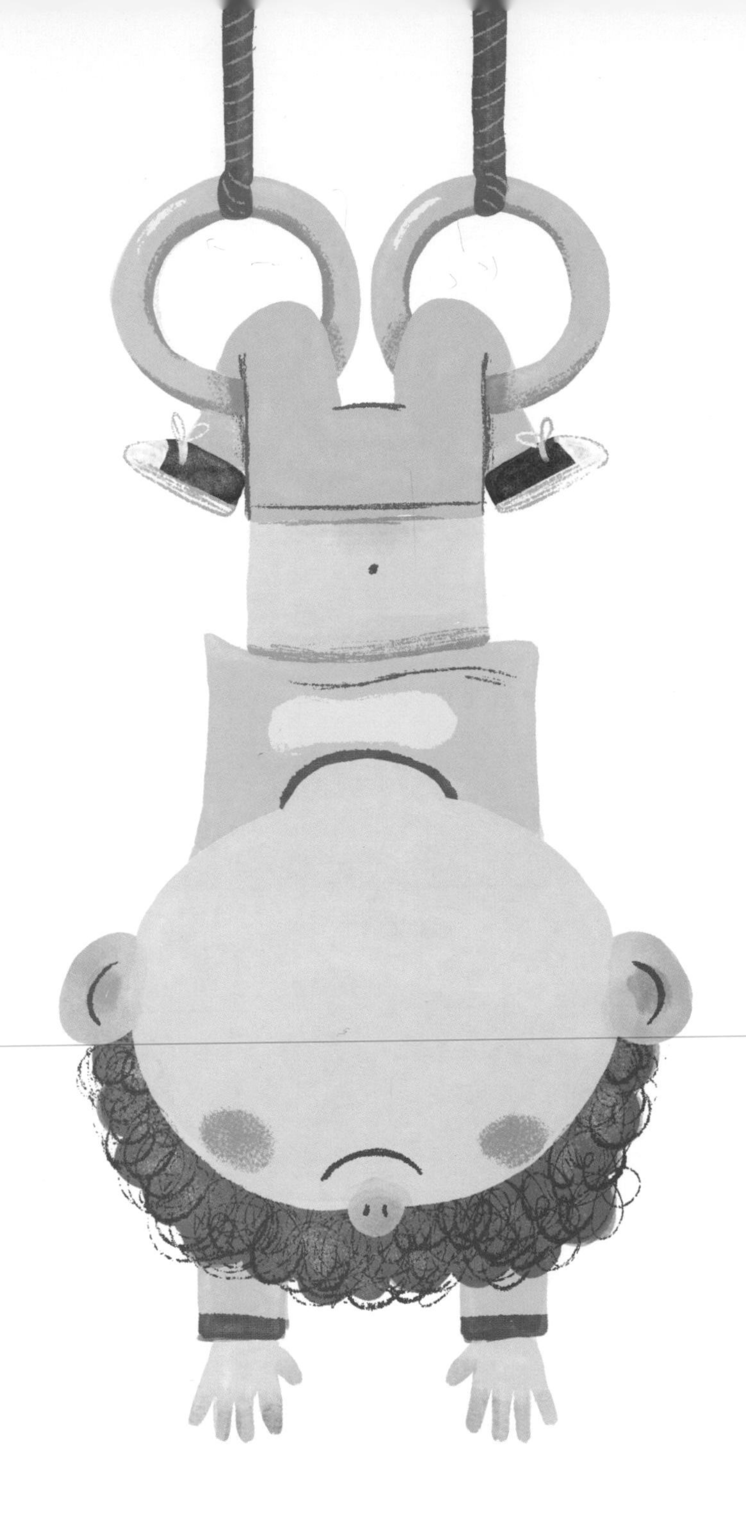

te balancer, glisser sur le dos
et même te suspendre aux anneaux!

Quand la récréation est finie,
tu t'es fait de nouveaux amis.

C'est maintenant l'heure de dîner;
ça tombe bien, tu es affamé!

Après le repas, tu te lèves
pour faire la connaissance d'autres élèves...
comme la petite fille aux cheveux frisés
et au joli chandail rayé...

ou celle au sourire éclatant
qui dévoile toutes ses dents…

ou encore le garçon bien sage
qui construit une tour de mille étages!

Voudra-t-il être ton ami?
Tout à coup, la journée est finie!

« Vite, il faut tout ranger, les enfants!

Éléphant
Poisson

Dépêchez-vous,
l'autobus vous attend! »

Le soir, couché dans ton lit,
tu as la tête bien remplie.
Tu penses à l'école, à tes copains,
à la musique et aux dessins.

Tout un univers à découvrir :
apprendre à compter, à lire, à écrire...
Tu fais partie des *GRANDS* à présent.
C'est vrai, la maternelle,
c'est amusant!